Mon premier livre d'activités de Noël

Publié en France par Editions Dolphino

© 2012 Les Éditions Coup d'œil
Tous droits réservés

ISBN : 978-2-89690-473-0

Imprimé à Singapour

DOLPHINO

**Glin-Glin le lutin doit vite aider le Père Noël !
Aide-le à le rejoindre.**

**Inscris dans le cercle
le nombre de boules qu'il y a sur le sapin.**

Trouve la différence entre ces deux dessins.
Puis, colorie celui en noir et blanc.

4

Combien comptes-tu de cadeaux ?
Inscris ta réponse dans le carré. Colorie le dessin.

5

Trouve les 3 lapins et entoure-les.

Trouve l'intrus et entoure-le !

**Oh, non ! Le Père Noël a perdu les cadeaux !
Quel chemin doit-il prendre pour les retrouver ?**

Dans quel cadre se trouve le lutin identique au modèle ?

9 Colorie les 1 en violet, le 2 en vert, les 3 en jaune, les 4 en rouge, les 5 en bleu et les 6 en orange !

Suis les pointillés
et colorie le Père Noël.

10

Relie les chiffres et colorie.

Ajoute des rayures vertes sur 1 sucre d'orge et ajoute des rayures rouges sur 2 sucres d'orge !

13

Colorie Rudolphe et sa motoneige !

Complète, puis colorie le dessin.

16

Le petit bonhomme de neige a perdu sa maman !
Aide-le à la rejoindre.

**Inscris dans le cercle
le nombre de cadeaux que Jules a reçus.**

Trouve la différence entre ces deux dessins.
Puis, colorie celui en noir et blanc.

19

Combien d'ampoules Rosalie la tortue porte-t-elle sur son dos ?
Inscris ta réponse dans le carré. Colorie le dessin.

20

Emile a 5 carottes pour décorer
son bonhomme de neige, entoure-les !

Trouve l'intrus et entoure-le !

**La fée Chloé veut rejoindre le sapin.
Quel chemin doit-elle prendre ?**

1

2

3

Dans quel cadre se trouve la souris identique au modèle?

24

Colorie les 1 en rouge, les 2 en bleu, les 3 en vert,
les 4 en orange, les 5 en jaune et les 6 en violet !

Suis les pointillés et colorie le sapin et ses décorations.

26

Relie les chiffres et colorie.

Colorie 1 cadeau en rouge avec le ruban vert et 2 cadeaux en vert avec le ruban rouge.

Dessine la ceinture du Père Noël, puis colorie le dessin.

29

Colorie Bobby le bonhomme de neige !

Complète, puis colorie le dessin.

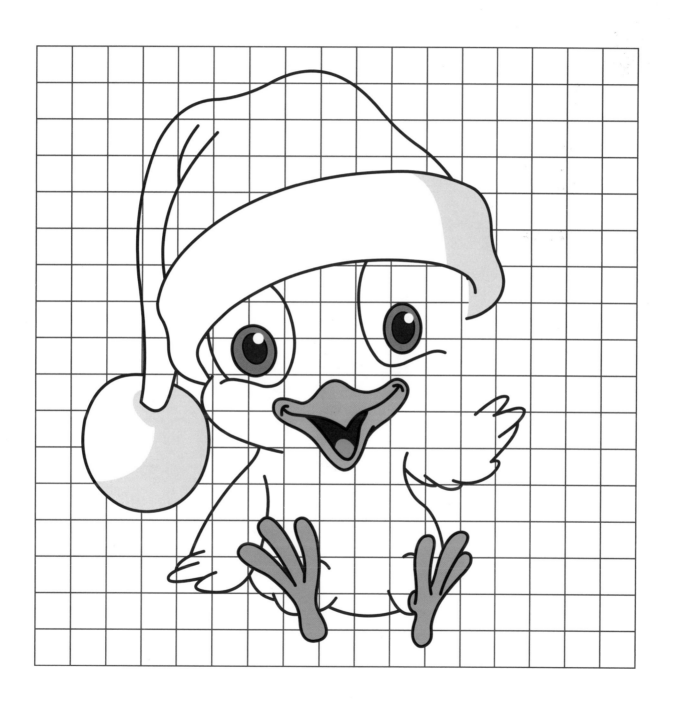

Comète s'est perdu !
Aide-le vite à rejoindre son ami Danseur.

Inscris dans le cercle le nombre de rennes.

Trouve la différence entre ces deux dessins. Puis, colorie celui en noir et blanc.

Combien comptes-tu d'enfants ?
Inscris ta réponse dans le carré. Colorie le dessin.

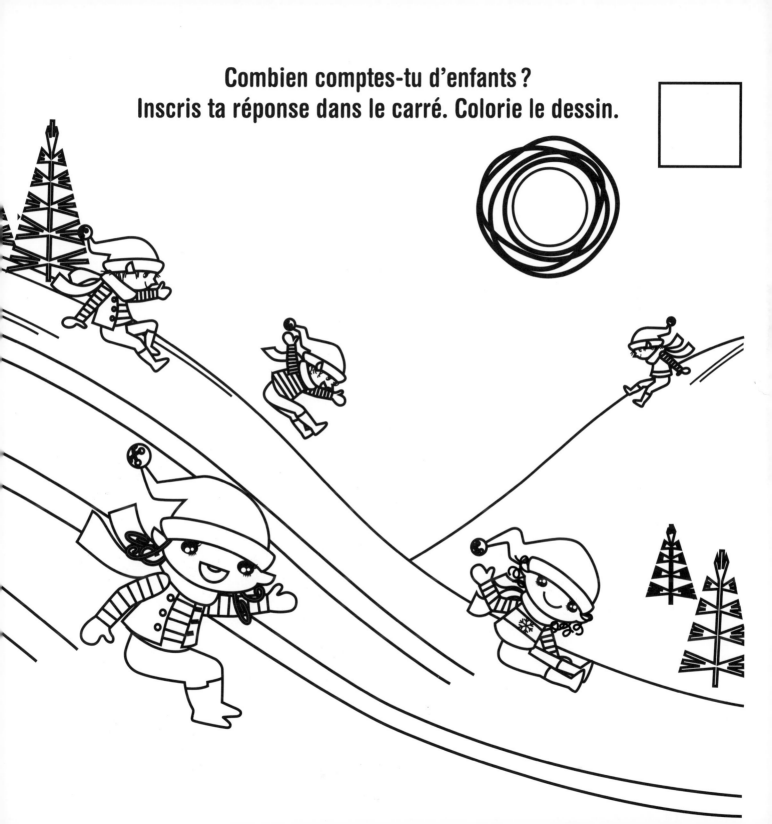

Les 3 amis ont caché 4 étoiles dans les cadeaux, entoure-les !

Trouve l'intrus et entoure-le !

**Le lutin aimerait décorer le jardin !
Quel chemin doit-il prendre pour y aller ?**

1

2

3

Dans quel cadre se trouve le dessin identique au modèle ?

39

Colorie les 1 en jaune, les 2 en rouge, les 3 en orange, les 4 en bleu, les 5 en rose et le 6 en violet !

Suis les pointillés
et colorie l'ours.

41

Relie les chiffres et colorie.

Colorie 1 sapin en vert et ses décorations en rouge
et 1 sapin en jaune et ses décorations en bleu.

43

Dessine la bouche du bonhomme de neige, puis colorie-le.

Colorie Ted l'ourson de Noël !

Complète, puis colorie le dessin.

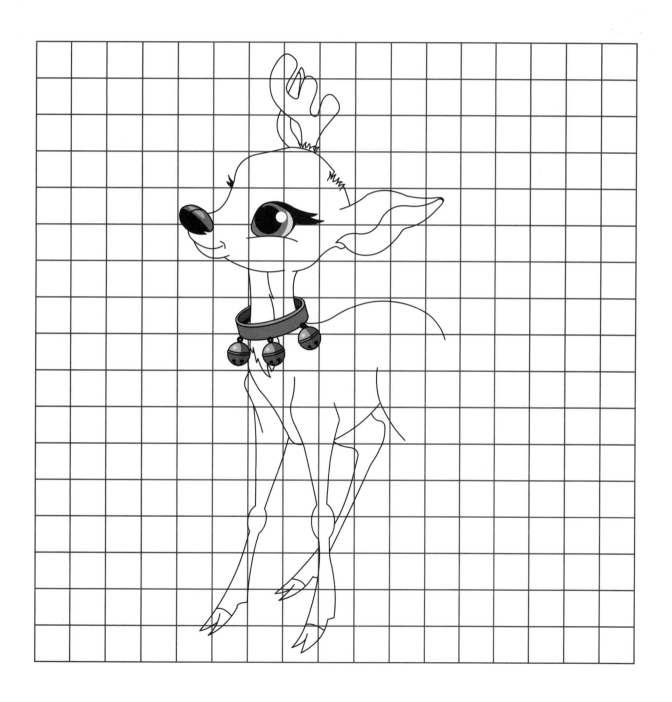

46

Monsieur Pain d'épice
veut rejoindre Madame Pain d'épice !
Aide-le à trouver le bon chemin.

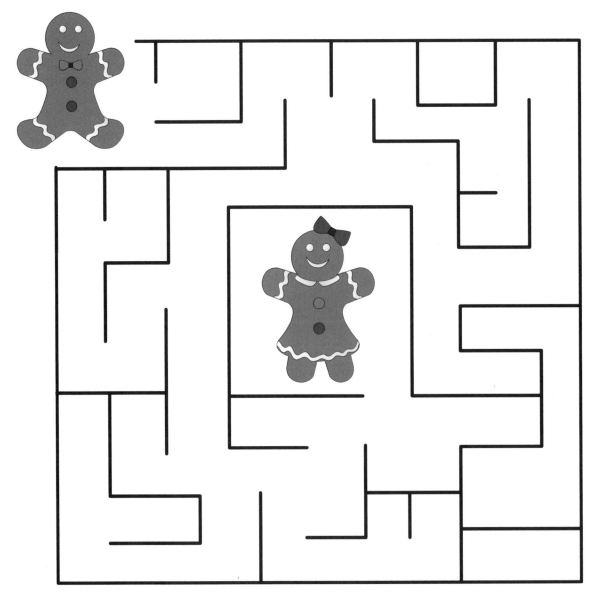

Inscris dans le cercle
le nombre de bonbons verts collés sur la maison.

48

Trouve la différence entre ces deux dessins.
Puis, colorie celui en noir et blanc.

Combien comptes-tu d'enfants ?
Inscris ta réponse dans le carré. Colorie le dessin.

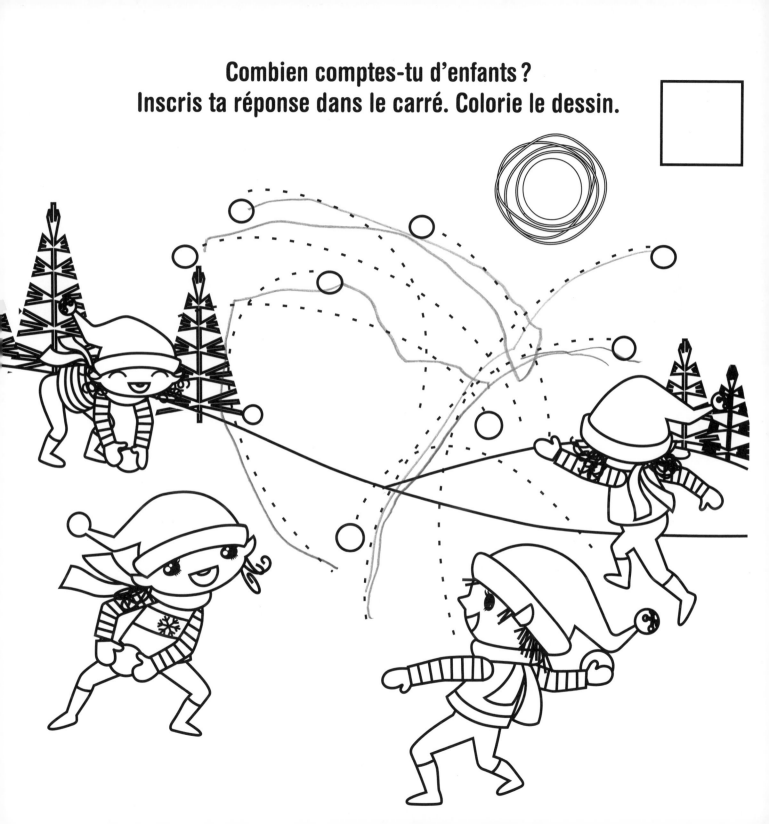

Le Père Noël a attaché 5 cloches sur Fringant, son renne, entoure-les !

Trouve l'intrus et entoure-le !

52

Pablo le pingouin aimerait aller jouer avec son ami.
Quel chemin doit-il prendre pour le rejoindre ?

1

2

3

Dans quel cadre se trouve le lutin identique au modèle ?

54

Colorie les 1 en bleu, les 2 en violet, les 3 en vert, les 4 en rouge, les 5 en jaune et les 6 en orange !

Suis les pointillés
et colorie le petit renne.

Relie les chiffres et colorie.

Colorie 1 bonnet en rouge et 2 bonnets en jaune, puis les 3 chats en noir.

Dessine la plume du lutin, puis colorie-le.

Colorie Médor le chien !

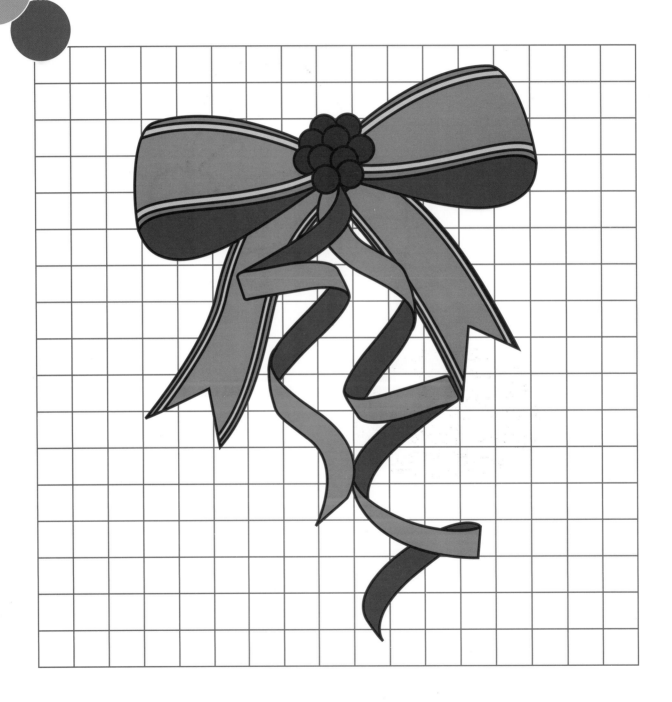

Complète, puis colorie le dessin.

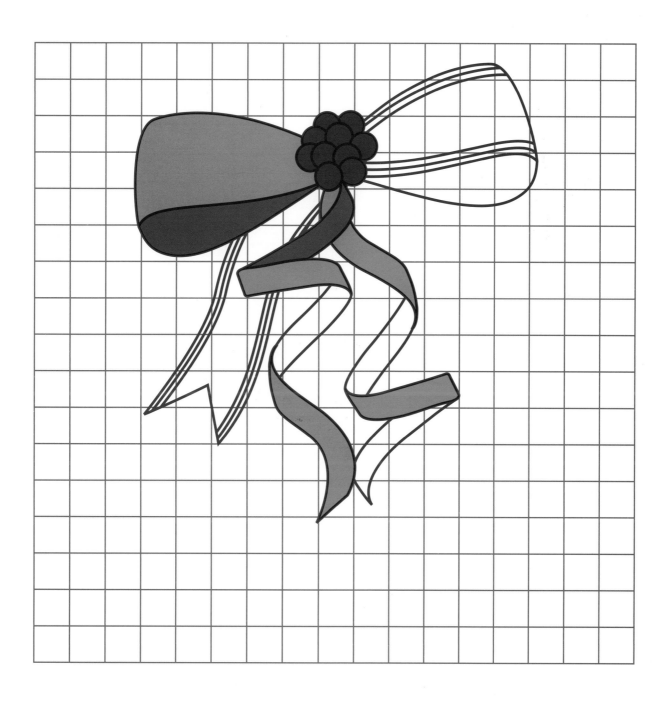

61

Il manque un cadeau dans la hotte du Père Noël !
Aide le lutin à l'apporter au Père Noël.

**Inscris dans le cercle
le nombre de poissons que Anouk a pêchés.**

Trouve la différence entre ces deux dessins.
Puis, colorie celui en noir et blanc.

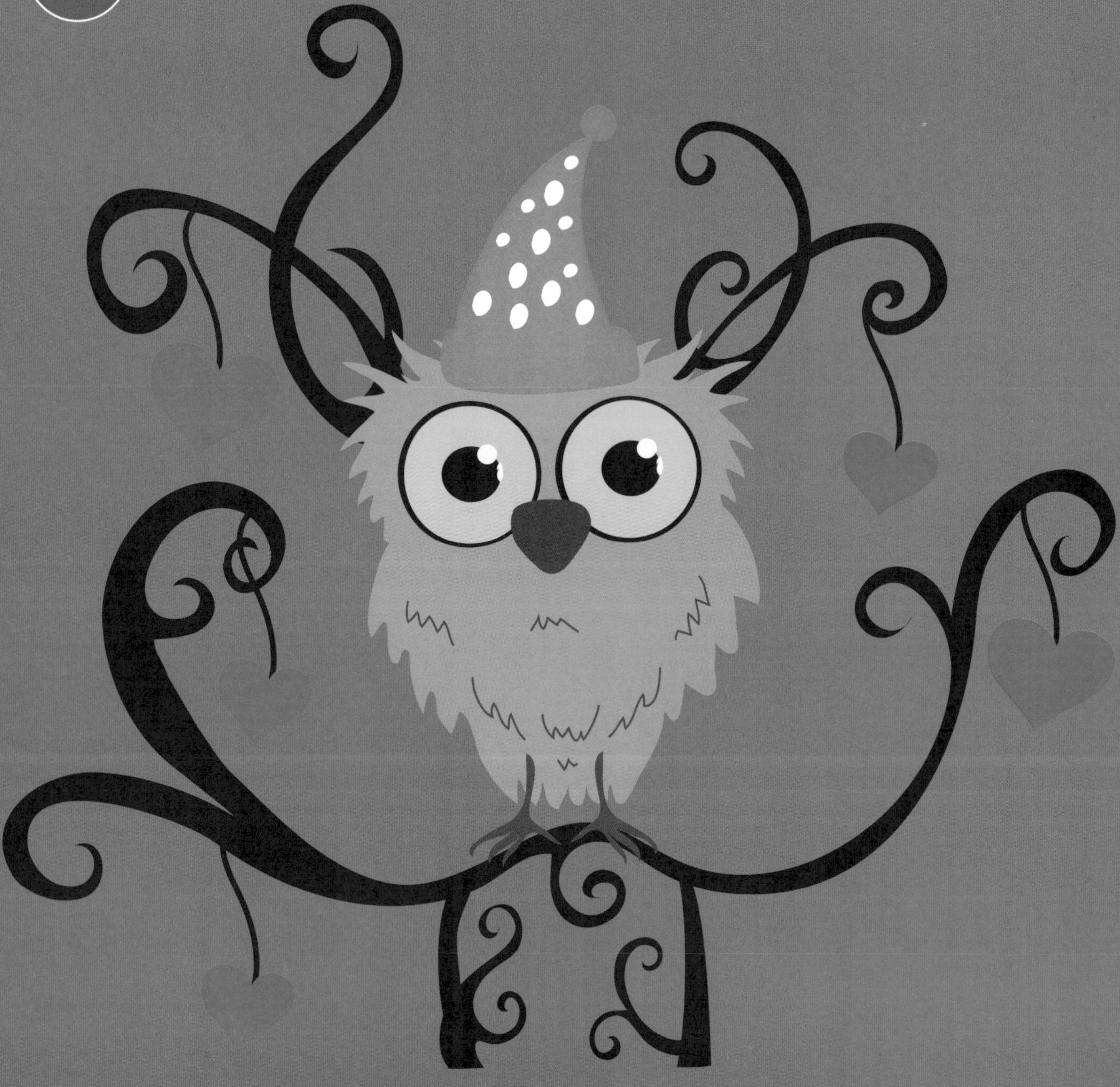

Combien de cœurs a accroché Pico le hibou ?
Inscris ta réponse dans le carré. Colorie le dessin.

65

La famille de Nico a décoré le sapin avec 3 boules jaunes, entoure-les !

Trouve l'intrus et entoure-le !

67

Vite ! Le Père Noël a oublié sa hotte !
Quel chemin doit prendre
Martin le lutin pour la lui apporter ?

Dans quel cadre se trouve l'ange identique au modèle ?

68

31

32
5

33

34
5

35

36

37

38